VIVEZ L'AVENTURE • LIVRE-JEU

LE SAMOURAÏ AUX 100 DÉFIS

TEXTE
DE JEAN-LUC BIZIEN
ILLUSTRATIONS
DE ERIC BIZIEN

GRÜND

Vous avez quitté la plaine et commencez la difficile ascension. Les hommes de troupe et les porteurs se déplacent avec peine dans la neige, et mieux vaut sans doute partir en éclaireur, pour vous assurer qu'aucun danger ne vous guette.

Par où allez-vous commencer ?

Si vous décidez de suivre les traces de chevaux, sur le pont de droite, allez page 16.

Si vous préférez suivre les empreintes qui s'éloignent sur votre gauche, rendez-vous page 28.

Mais peut-être est-il plus sage de rester sur la route principale ? Pour le savoir, franchissez le pont du centre et allez page 24.

Avant de vous éloigner, vérifiez qu'aucune menace – réelle ou imaginaire – ne pèse sur votre convoi.

Sans vous soucier des sentiers étroits et de la neige qui ralentit votre progression, vous avez lancé votre cheval à la poursuite des ravisseurs, mais ces derniers ont disparu.

Cet autel paraît abandonné. Pourtant, quelqu'un y a déposé une offrande.

Si vous trouvez quelque chose à y déposer à votre tour, faites-le avant de poursuivre votre route page 30.

Si vous préférez ne pas perdre de temps inutilement, accélérez l'allure jusqu'à la page 20.

Quoi qu'il en soit, observez attentivement le décor : vous devriez y découvrir un indice important pour la suite de votre aventure, et quelques observateurs silencieux.

VOUS ÊTES ENTRÉ DANS LE BÂTIMENT PRINCIPAL. VOS PIEDS GLISSENT E
SILENCE SUR LE TATAMI ET PERSONNE N'A ENCORE NOTÉ VOTRE PRÉSENC
OBSERVEZ AVEC SOIN VOS ENNEMIS, ET CHOISISSEZ CELUI QUE VOU
ALLEZ AFFRONTER : IL FAUDRA SURPRENDRE VOTRE VICTIM
PUIS FRAPPER VITE ET FORT, CAR VOUS N'AURE
PAS DE SECONDE CHANC

UN SEUL GUERRIER EST VULNÉRABLE, MAIS LEQUEL ?
SI VOUS FAITES LE BON CHOIX, VOUS POURREZ POURSUIVRE VOTRE QUÊTE
PAGE 38. SINON, VOUS DEVREZ RECOMMENCER L'AVENTURE PAGE 6...
CHACUN DE VOS ADVERSAIRES REND HOMMAGE À L'EMBLÈME
DE SON CLAN. L'UN D'ENTRE EUX VA MÊME PLUS LOIN,
LE TROUVEREZ-VOUS ?

Kachiko a poussé un cri de joie en vous voyant.
Ses ravisseurs ne l'ont pas blessée et vous vous en réjouissez. Hélas, les trois kamis vous ont pris au piège en refermant la porte derrière vous : vous voilà emprisonné à votre tour.
Reportez-vous à la page 13, trois épreuves vous y attendent.
En les passant avec succès, vous pourrez quitter le monastère.
Si c'est le cas, fuyez avec la jeune femme à travers la forêt et rendez-vous page 32.
Sinon...
Vous devrez commencer une nouvelle quête, page 6.

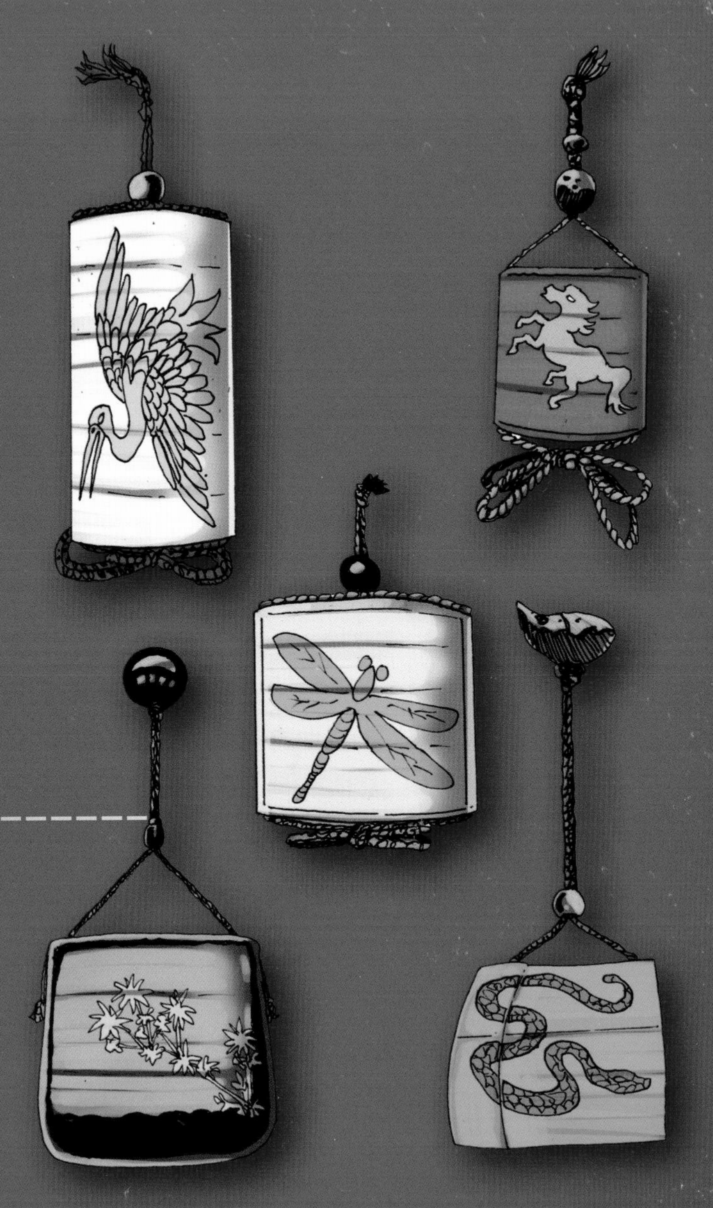

1

Pour quitter cet endroit, il faut déclencher magiquement l'ouverture de la porte en reconstituant ce puzzle.
Utilisez votre bouclier comme modèle et ne tardez plus, car les démons ont sans doute prévenu vos ennemis.
Si vous ne réussissez pas cette épreuve, l'aventure s'achève ici et vous devrez retourner page 6.

2

Kachiko vous apprend une terrible nouvelle : s'il n'y a aucun gardien dans sa cellule, c'est parce qu'on lui a fait avaler un poison, qui agira à la moindre variation de température. Toute fuite dans la neige condamnerait la jeune femme, à moins que vous ne trouviez dans l'un de ces inros (les boîtes à pharmacie des voyageurs) celui qui contient l'antidote. Par déduction, vous devriez le trouver : il est différent des autres.

Une seule de ces clés peut libérer Kachiko.
Les autres condamneront irrémédiablement la serrure de la chaîne qui la retient prisonnière.
Observez-les, et faites votre choix.
Vous n'aurez droit qu'à un seul essai.
Allez ensuite vérifier à la page des solutions que vous ne vous êtes pas trompé.

Vous avez présenté le dos à vos ennemis, qui ont saisi l'occasion de se débarrasser de leur plus redoutable adversaire. Hélas, pour vous, c'est la fin.

Vous allez devoir recommencer une aventure page 6, mais avant cela, vous devez trouver les sept détails qui différencient les trois faux moines.

Le costume de cet homme ne laisse aucun doute : c'est un ninja, un tueur mercenaire ! Sans doute lui et ses complices sont-ils venus tendre une embuscade à votre troupe. Avant tout, assurez-vous qu'il est seul, puis dégainez votre sabre et agissez vite : aucun de vos adversaires ne doit donner l'alerte au reste de la bande !

Sitôt le combat achevé, sautez en selle et retournez sur la route en coupant au plus court : vous arriverez page 36.

Jamais vous n'aurez dû tenter de vaincre un dragon : les créatures célestes usent de magie, elles sont insensibles aux armes des mortels... Votre aventure s'achève ici.

Le kami acceptera de vous laisser repartir page 6, si vous trouvez la réponse à sa charade :

- Mon premier peut être d'école, difficile... ou raté.
  Mon second est le premier tiers de tatami.
  Mon troisième est un cri d'enfant capricieux et colérique.
  Un samouraï ne se sépare jamais de mon tout.

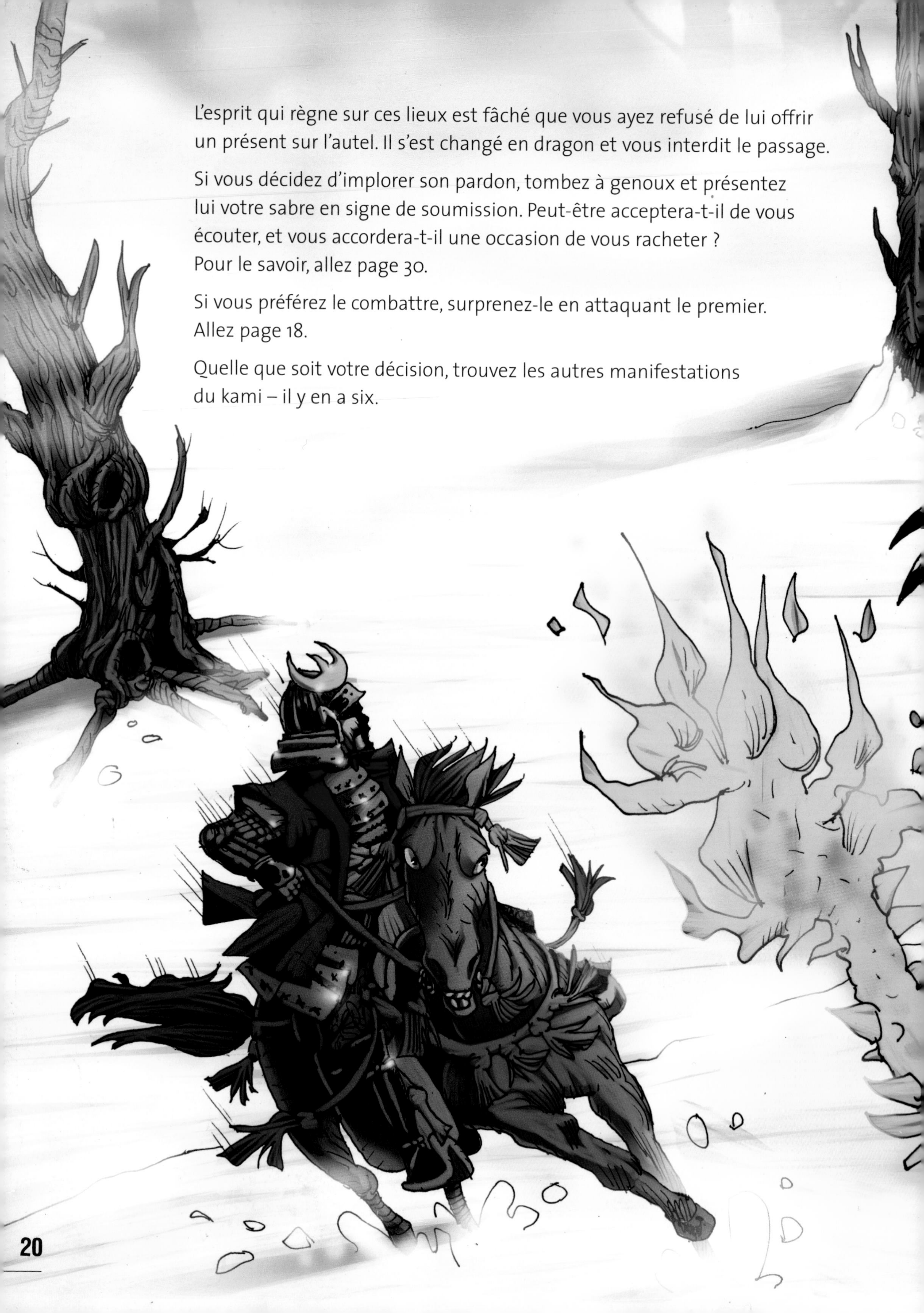

L'esprit qui règne sur ces lieux est fâché que vous ayez refusé de lui offrir un présent sur l'autel. Il s'est changé en dragon et vous interdit le passage.

Si vous décidez d'implorer son pardon, tombez à genoux et présentez lui votre sabre en signe de soumission. Peut-être acceptera-t-il de vous écouter, et vous accordera-t-il une occasion de vous racheter ?
Pour le savoir, allez page 30.

Si vous préférez le combattre, surprenez-le en attaquant le premier.
Allez page 18.

Quelle que soit votre décision, trouvez les autres manifestations du kami – il y en a six.

Vous avez présumé de vos forces : les ninjas sont des combattants redoutables, qui vous ont séparé de Kachiko avant de l'emmener. Vous avez failli à votre mission, c'est la fin de l'aventure.

Il ne vous reste plus qu'à trouver une issue honorable à ce dernier comba
Observez vos adversaires. Deux d'entre eux ont un jumeau, le cinquième est le chef du groupe. C'est lui que vous devrez frapper le premier, si vous voulez avoir une chance de retourner page 6.

Ces trois moines se trouvent sur votre chemin. Ils n'ont pas l'air surpris de vous voir surgir, ils n'ont pas bougé.

Si vous décidez d'aller parlementer avec eux, rendez-vous page 42.
Si vous jugez plus prudent de faire volte-face et de repartir, allez page 14.
Peut-être ces hommes ne constituent-ils pas une menace ? En les observant avec soin, vous devriez le savoir.
Si ce sont des ennemis, il ne vous reste plus qu'à les affronter. Quand vous les aurez vaincus, lancez votre cheval au triple galop et rejoignez la page 36.

Mais avant cela, relevez les défis de la page 25 !

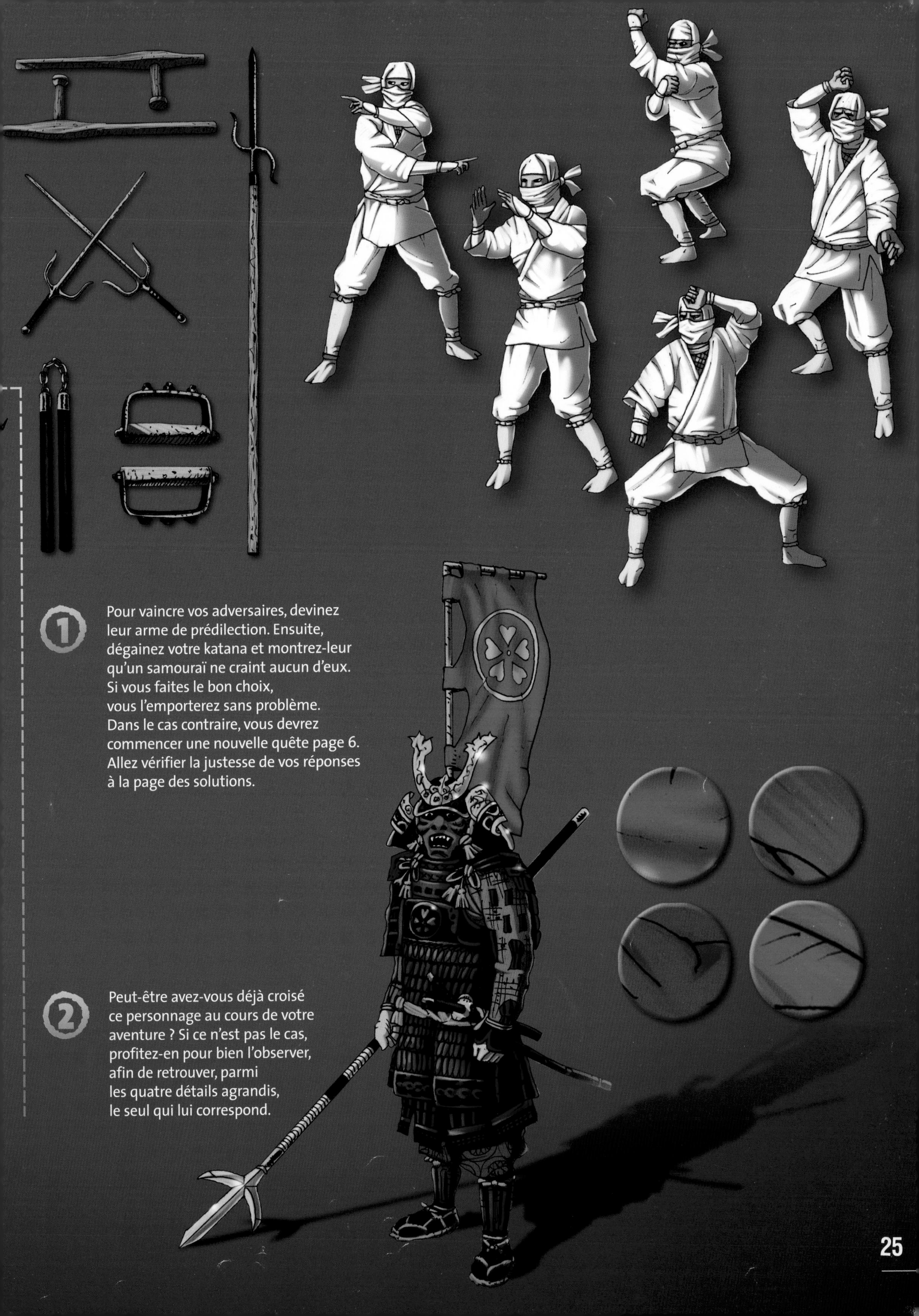

Pour vaincre vos adversaires, devinez leur arme de prédilection. Ensuite, dégainez votre katana et montrez-leur qu'un samouraï ne craint aucun d'eux. Si vous faites le bon choix, vous l'emporterez sans problème. Dans le cas contraire, vous devrez commencer une nouvelle quête page 6. Allez vérifier la justesse de vos réponses à la page des solutions.

Peut-être avez-vous déjà croisé ce personnage au cours de votre aventure ? Si ce n'est pas le cas, profitez-en pour bien l'observer, afin de retrouver, parmi les quatre détails agrandis, le seul qui lui correspond.

VOUS N'AVEZ PAS ÉTÉ ABUSÉ PAR LES DÉGUISEMENTS DE MOINES UTILISÉS PAR VOS ENNEMIS

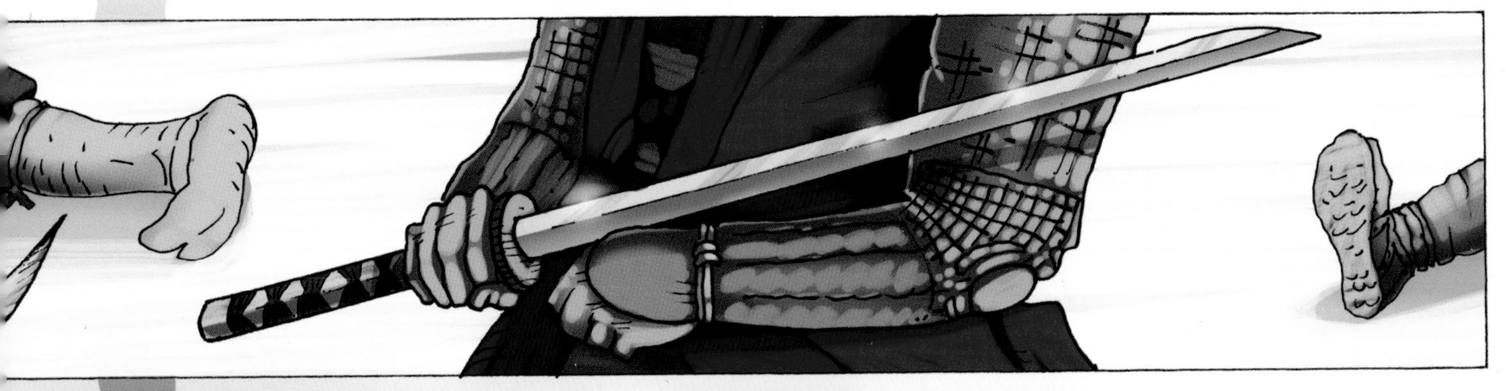

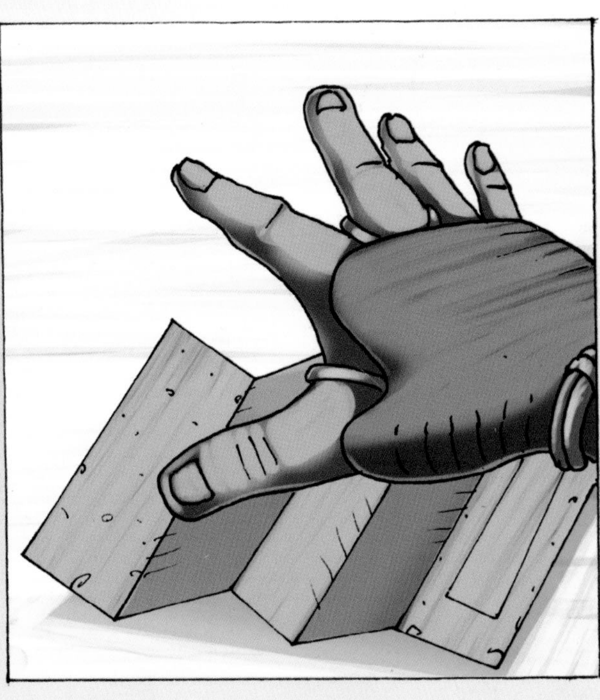

ÉGAINANT VOTRE SABRE, VOUS LEUR AVEZ CHÈREMENT FAIT PAYER LEUR FOURBERIE. SUR L'UN
EUX, VOUS AVEZ TROUVÉ CET ÉTRANGE PARCHEMIN, DONT LA LECTURE VOUS LAISSE PERPLEXE...
MOINS QU'IL NE S'AGISSE D'UN CODE SECRET ?
VOUS NE PARVENEZ PAS À LE DÉCHIFFRER, IL VOUS FAUDRA RECOMMENCER UNE AVENTURE PAGE 6.
PAR CONTRE, VOUS LUI DÉCOUVREZ UN SENS CACHÉ, FILEZ PAGE 36.

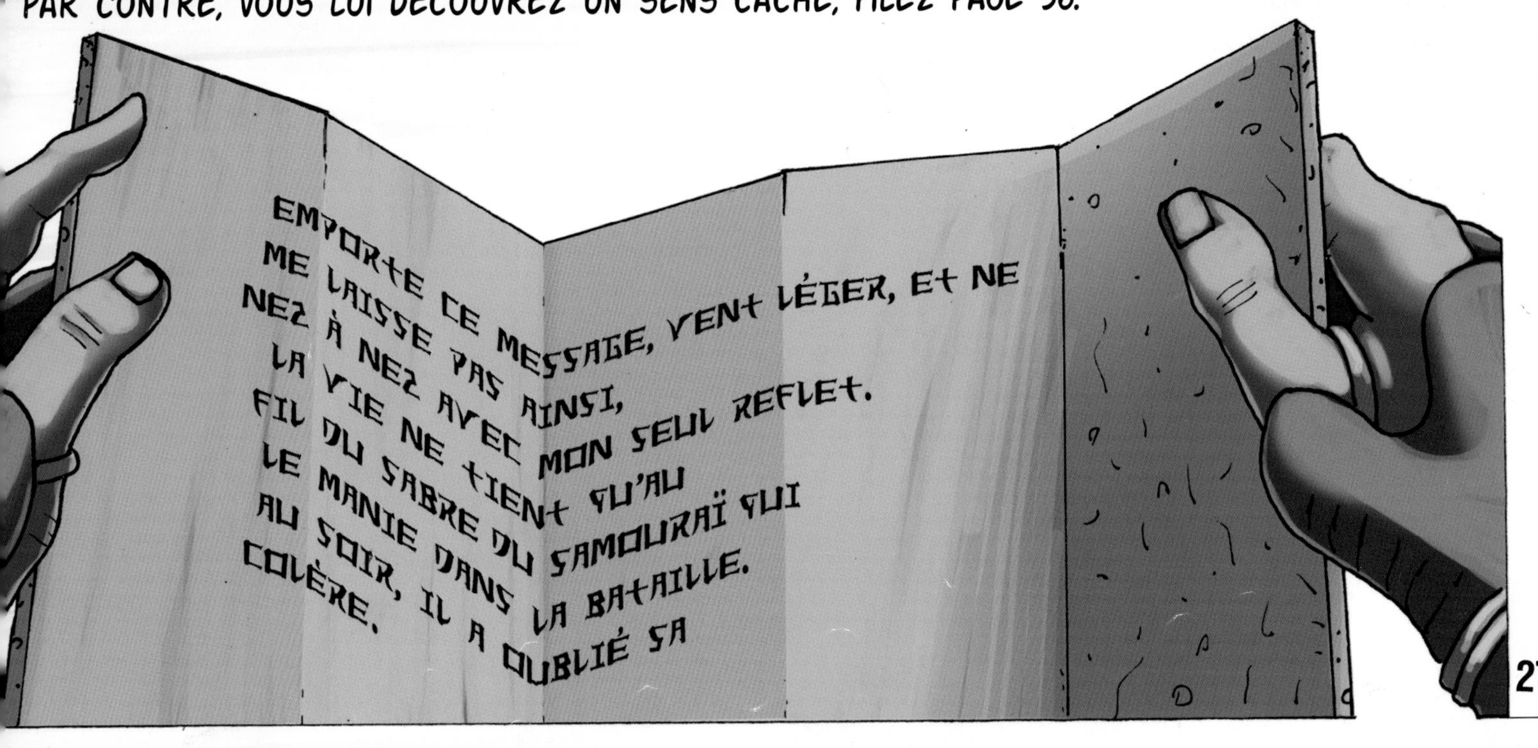

EMPORTE CE MESSAGE, VENT LÉGER, ET NE
ME LAISSE PAS AINSI,
NEZ À NEZ AVEC MON SEUL REFLET.
LA VIE NE TIENT QU'AU
FIL DU SABRE DU SAMOURAÏ QUI
LE MANIE DANS LA BATAILLE.
AU SOIR, IL A OUBLIÉ SA
COLÈRE.

Ces moines sont venus se recueillir devant un autel.
Ils ont allumé des bâtons d'encens.
Vous avez ralenti l'allure pour ne pas troubler leur cérémonie.
- Sois sans crainte, Toshiro, dit doucement l'un d'eux. Les kamis de la montagne nous ont annoncé ta venue. Mets pied à terre et joins-toi à nous dans la prière.

Qu'allez-vous faire ?

Si la proposition du moine vous convient, allez page 42.

Peut-être préférez-vous rebrousser chemin sans les déranger davantage ? Dans ce cas, rejoignez la page 14.

Si vous vous méfiez de ces trois religieux, vous pouvez également les combattre, mais il vous faut une bonne raison... et une bonne tactique ! Allez vérifier dans les solutions que vous avez fait le bon choix, et rendez-vous page 26.

Que vous ayez ou non rencontré le dragon, vous avez adopté la bonne attitude et vous voici au col, où vous découvrez le monastère fortifié dans lequel les ravisseurs se sont réfugiés. Sûrs d'eux, ils affichent leurs couleurs.

Aucun bruit ne vous parvient. Kachiko doit être enfermée dans l'un de ces bâtiments. Si vous attaquez maintenant, vos ennemis donneront l'alerte et leurs complices n'hésiteront pas à tuer la jeune femme.

Trouvez le moyen de grimper sur le premier toit, puis hissez-vous de l'un à l'autre pour atteindre le sommet sans jamais passer à portée d'une des têtes de renard. Mais avant tout, saluez avec respect les kamis gardiens des lieux. Ainsi, ils vous laisseront faire sans alerter les sentinelles.
Rendez-vous ensuite page 34.

VOUS AVEZ ENTRAÎNÉ
KACHIKO SUR LES SENTIERS
MONTAGNEUX EN ESPÉRANT
RETROUVER LE CHEMIN,
MAIS VOUS VOUS
ÊTES PERDUS SUR
LES SOMMETS ET VOUS
VOILÀ DEVANT UN PRÉCIPICE
QUE JAMAIS VOUS NE
POURREZ FRANCHIR SANS
VOUS BRISER LES OS.

DANS VOTRE DOS, VOS ENNEMIS POUSSENT DES CRIS DE RAGE. ILS SERONT BIENTÔT LÀ... QU'ALLEZ-VOUS FAIRE ?

SI VOUS TROUVEZ LE MOYEN D'ÉCHAPPER À VOS POURSUIVANTS, ALLEZ PAGE 44. PEUT-ÊTRE POUVEZ-VOUS AFFRONTER CES NINJAS ? CE NE SONT QUE DES HOMMES, APRÈS TOUT...

SI TEL EST VOTRE CHOIX, RENDEZ-VOUS PAGE 22.

Il vous a été facile de mettre hors de combat la sentinelle qui attendait sur le chemin de ronde. Hélas, pour atteindre la pagode qui se trouve au centre du monastère, il faut se débarrasser du terrible ôni qui veille dans la cour. Cette espèce de démon est insensible aux armes humaines.
Comment faire pour libérer le passage ?

Trouvez le moyen de l'attirer dans une autre partie du bâtiment et glissez-vous sans tarder dans la pagode, où Kachiko est certainement enfermée.
Allez à pas feutrés jusqu'à la page 10.

Vos ennemis ont profité de votre absence pour attaquer le convoi ! Ce sont des ninjas, des combattants expérimentés qui ont surpris vos hommes et les ont éliminés. En observant le décor avec attention, vous en aurez la preuve. De plus, Kachiko a disparu ! Vous interrogez les survivants, mais ils sont en état de choc et leurs témoignages sont trop confus.

Choisissez sans plus tarder, parmi les pistes qui s'éloignent du lieu de la bataille, celle que vous allez suivre. Surtout, ne vous trompez pas, car vous perdriez tout espoir de sauver la jeune femme, et il vous faudrait recommencer une aventure page 6. Vérifiez dans les solutions que vous avez trouvé la bonne voie, avant de vous rendre page 8.

Vous avez cru devoir affronter deux adversaires à la fois, mais vous voilà rassuré : ce sont deux armures vides qui sont exposées ici. Étudiez-les avec soin pour trouver leurs sept différences.

Quand ce sera fait, vous pourrez récupérer le bouclier. Vous l'offrirez à Kachiko dès que vous aurez retrouvé la jeune femme. Ainsi, elle pourra mieux se protéger en cas de combat.

Avant de partir, relevez les défis de la page 39. Ensuite, allez page 40.

1

Un seul de ces ninjas n'a pas de jumeau : c'est celui qui a utilisé la magie pour se démultiplier. Mais saurez-vous le retrouver parmi toutes ces images ?

Ces trois bushis pratiquent le iaïdo, l'art du sabre. Ils ont tranché des cibles d'entraînement d'un seul coup de leur katana. Rendez à chacun celle qui correspond à la technique employée.

a 

b 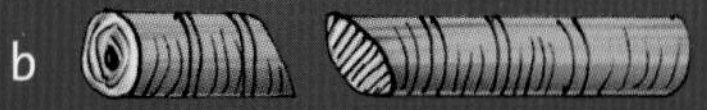

c 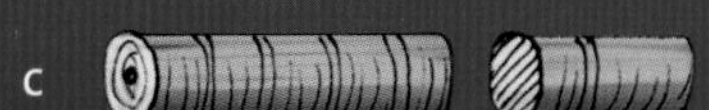

Vous avez peut-être croisé ce dragon page 21. De ces deux images, une seule représente un réel danger pour vous. La voyez-vous ?

- Ah ! s'est écrié l'un de ces kamis en vous apercevant, tu dois être Toshiro ! La fille que nous gardons ne cesse de pleurer en répétant ton nom...
- Tes ennemis nous ont réveillés, poursuit un autre démon. Ils nous ont confié sa garde. Mai ils sont avares, et peu respectueux de notre demeure...
- C'est pourquoi, continue le troisième, nous t'accordons une chance de la retrouver. Il te suffit de répondre à une énigme. Qu'en dis-tu ?

L'occasion est trop belle, d'autant que
vous n'avez aucune chance de vaincre trois kamis à la fois.
- Parfait ! reprennent-ils en chœur. J'ai deux grands yeux jaunes. L'un est doux, l'autre brutal, l'un cligne parfois, l'autre jamais. Ils veillent sur toi en permanence, mais très rarement en même temps... Qui suis-je ?
Si vous trouvez la bonne réponse, rejoignez Kachiko page 12.
Dans le cas contraire, votre aventure est terminée : rendez-vous page 6.

Vous ne vous êtes pas tenu sur vos gardes et vos adversaires vous ont surpris. Vous voilà à la merci des loups qui rôdent dans la montagne. Votre aventure s'arrête ici.

Pour retourner page 6, trouvez le moyen de vous libérer et repérez tous les loups. Ensuite, demandez pardon aux kamis, que votre présence sur ces lieux a irrités. Avec un peu de chance, ils guideront vos pas...

Victoire !
Au terme d'une descente effrayante, vous êtes parvenu à freiner votre luge de fortune et à vous arrêter au pied de la pente. Kachiko est saine et sauve, elle vous est reconnaissante d'avoir bravé tant de dangers pour la soustraire aux ennemis du clan des Bayushi. La troupe d'hommes en armes est venue à votre rencontre, elle assurera dorénavant la sécurité de la jeune femme.

Vous avez accompli votre mission avec courage et honneur, et l'officier en charge du groupe vous en félicite.

Vous le saluez respectueusement et songez aux esprits qui sont intervenus au cours de votre aventure. Quelque chose vous dit qu'eux aussi ont apprécié vos prouesses, mais comment en être sûr ?

SOLUTION DES JEUX

PAGES 6-7
On aperçoit deux visages de kamis sur des troncs d'arbres, ainsi que sept autres dans la pierre et la glace de la crevasse.

PAGES 8-9
La seule offrande possible, c'est la gourde de saké tombée au pied de l'arbre de gauche, au milieu des boules de neige.
Kachiko a jeté son miroir sur les marches qui conduisent au portail, indiquant ainsi la piste qu'il faut suivre.
Deux kamis, dans les arbres, et quatre autres, dans la glace de la crevasse, observent la scène.

PAGES 10-11
Dans chaque case, on voit un tableau représentant un renard, ou une tache (sur une cloison, ou sur un lampion) montrant en ombre chinoise un renard bondissant.
Le seul adversaire humain est le second en partant de la gauche.
Les autres sont des kamis. De gauche à droite : le premier n'a que quatre doigts à chaque main, le second a des griffes au pied droit et le troisième porte une queue de renard (c'est donc lui qui rend deux hommages au mon de son clan).

PAGES 12-13
Jeu 2 : Tous les inros présentent un animal, à l'exception du premier à gauche, sur la ligne du bas, sur lequel on a peint un végétal.
C'est donc celui qui contient l'antidote.
Jeu 3 : La bonne clé est celle de droite.

PAGES 14-15
Le moine de gauche ne porte pas de sandales.
Celui du centre n'a ni panache à l'extrémité de son bâton, ni nœud à la ceinture. Il ne porte pas de mitaines et son chapeau est orné d'un cercle, pas d'un carré.
Le moine de droite a une lame courbe à l'extrémité de sa lance, et son pectoral compte une rangée verticale de moins.

PAGES 16-17
Six ninjas sont cachés dans le décor, on distingue leurs silhouettes dans les branchages ou au pied des arbres.

PAGES 18-19
Cas (ou « ka ») + ta + na !
Le katana est le sabre du samouraï, une arme dont il ne se sépare jamais.

PAGES 20-21
Six images du kami – des gueules de dragon – sont visibles, sur les troncs d'arbres (l'un d'eux est dans la brume), la souche sur le sol... et la queue du cheval

PAGES 22-23
Les jumeaux ninjas se reconnaissent à la manière dont ils tiennent leur sabre et portent leur fourreau : deux sont gauchers, les deux autres sont droitiers. Enfin, le chef se distingue par la garde ronde de son sabre (ses hommes ont des gardes carrées).

PAGES 24-25
Ce sont bien entendu de faux moines : on voit le mon de vos ennemis (la tête de renard) sur leurs robes.
Jeu 1 : Voir ci-dessous
Jeu 2 : Le bon détail est le premier (en haut à gauche).

PAGES 26-27
En ne lisant que la première syllabe de chaque ligne, on obtient l'ordre de mission des ninjas : « Emmenez la fille au col. ».

PAGES 28-29
Ce ne sont pas de véritables moines, mais des ninjas déguisés : celui de gauche sort la lame cachée dans son bâton, celui du centre porte un sabre court sous son paquetage, celui de droite masque la lame de son arme sous un manchon, il n'est pas rasé mais porte le katogan des guerriers et dissimule un sabre dans sa natte de couchage.
Enfin, au pied de l'arbre, dans la brume, on distingue l'arc et les flèches de l'un d'eux.
Le meilleur moyen de les affronter et donc de sauter de cheval au pied de l'arbre, juste devant l'arc et les flèches, pour qu'ils ne disposent pas d'armes de jet.

PAGES 30-31
Il faut découper un bambou, s'en servir comme d'une perche et se hisser le long de l'arbre. Ensuite, utiliser les branches pour passer sur le toit suivant. Continuez ainsi, jusqu'à la seule fenêtre qui soit ouverte.
Les kamis gardiens sont sept : trois sont végétaux, les quatre autres sont dissimulés dans le mur de la bâtisse.

PAGES 32-33
Le seul moyen d'échapper aux ninjas, c'est de vous élancer dans la pente neigeuse en utilisant le bouclier comme une luge.

PAGES 34-35
Il faut utiliser l'arc de la sentinelle assommée. Découper la corde qu'elle a autour de l'épaule, pour envelopper les pointes de flèches et viser, au choix :

- Les singes sur le toit, à gauche. Leurs cris vont attirer l'ôni dans la cour, à leurs pieds.
- Le tambour dans la cour de droite. Le bruit y fera venir le démon.
- Les braseros qui, en tombant, mettront le feu à la tente et alerteront le monstre.

Ensuite, en passant par l'un des toits, vous pouvez atteindre la seconde cour et vous glisser dans la pagode.

PAGES 36-37
Les ninjas ont utilisé des clous pour blesser les soldats aux pieds et les empêcher de se déplacer (on en voit sur la neige, et plantés dans certaines semelles). De plus, cinq redoutables shurikens (les étoiles d'acier, projectiles favoris des guerriers-assassins) ont été laissés sur place.
Il ne faut bien sûr pas suivre les pistes dont les traces sont légères et espacées, preuve que les fuyards sont partis en courant, mais bien celle laissée par des empreintes rapprochées et profondes : les hommes qui ont enlevé Kachiko doivent la porter.

PAGES 38-39
Il manque à l'armure de droite : une baguette du casque, un bouton décoratif sur la protection d'épaule gauche, des coutures rouges de la coudière gauche, une décoration sur la sixième bande du pectoral en partant du haut, une bande rouge sur le gant droit, les trois petits carrés décoratifs sur la première bande en partant du bas de la protection de cuisse gauche, un nœud gris au protège-tibia droit.
Jeu 1 : Le ninja qui a utilisé la magie pour se démultiplier est celui de gauche dans la rangée du milieu.
Jeu 2 : Le samouraï du haut a frappé de bas en haut, de droite à gauche (cible b). Celui du milieu, idem, mais de gauche à droite (cible a).
Le dernier a frappé à l'horizontale (cible c).
Jeu 3 : Il s'agit du dragon du bas, il porte sur l'épaule le signe du clan ennemi, le mon à tête de renard.

PAGES 40-41
Les deux grands yeux jaunes sont le soleil et la lune (la lune, quand elle n'est plus qu'un croissant, adresse un clin d'œil aux hommes). La solution de cette devinette est donc « le ciel ».

PAGES 42-43
Cinq loups s'approchent. Pour vous libérer, vous devez trancher vos liens à l'aide du poignard que l'on aperçoit sur le troisième autel à partir de la gauche. Enfin, il faut présenter ses excuses aux deux kamis dont on voit les visages dans les feuillages des arbres, à celui qui se découpe dans la roche de la falaise... et aux six autres qui se dessinent sur les pierres tombales.

PAGES 44-45
Huit kamis cachés dans le décor, sourient (ils sont sur le sol, dans les rochers ou les nuages et dans les sapins).